Merci à Marie-Dominique de Teneuille,
Béatrice Foulon, Frédérique Kartouby,
Hugues Charreyron et Annick Duboscq.

à Vianney et Flamine,

**Conception graphique
et mise en pages :**
Chloé Bureau du Colombier
Photogravure :
Haudressy
Impression :
Imprimerie Mame, Tours, France

En couverture :
détail de *L'Enlèvement d'Hélène* de Guido Reni

Violaine Bouvet-Lanselle
Marie Sellier

Mon petit Louvre

rmn

Au Louvre, *il y a* une pyramide de verre si transparente
qu'on voit le ciel de Paris à travers.
Au Louvre, *il y a* le palais des rois de France
qui ouvre ses bras pour nous inviter à entrer.

Au Louvre, *il y a* des jets d'eau qui murmurent :

« Venez découvrir les trésors du plus grand musée du monde. »

Au Louvre, *il y a* des couleurs, du marbre et de l'or,

il y a des tableaux, des héros, des bibelots, *il y a...*

il y a ... des démons

Je suis le démon Pazouzou,

le roi des mauvais esprits.

Je joue à cache-cache avec le vent,

je vole, je tourbillonne

et je sème la maladie

en faisant des grimaces.

Mais, je peux aussi être très gentil.

Il suffit de me le demander poliment

en me faisant des cadeaux.

Mésopotamie
Le démon Pazouzou
vers 900 av. J-C

il y a ... des morts heureux

Nous avons l'air vivant

et pourtant nous sommes morts.

Nous sommes mari et femme.

Nous ne voulions pas être séparés :

on nous a mis dans le même tombeau.

Allongés, bien coiffés, bien habillés,

nous sommes prêts à déjeuner.

Étrurie
Sarcophage des époux
vers 520-510 av. J-C

il y a ... des guerriers en robe longue

Nous sommes les archers,

les archers de Darius.

Notre roi est puissant,

nos arcs sont immenses

et nos flèches très pointues.

Fiers de notre victoire,

nous défilons en ligne

sur les murs de son palais.

Nous sommes en robe de cour

et en brique cuite au four.

Mésopotamie
Frise des archers (palais de Darius)
vers 500 av. J-C

il y a ... une femme oiseau

J'ai des ailes comme un oiseau,

mais j'ai perdu ma tête et mes bras

en tombant du haut du rocher

où autrefois j'étais perchée.

La mer et le vent étaient mes amis.

Au Louvre,

on m'a mise

dans un escalier

où parfois je m'ennuie.

Grèce
Victoire de Samothrace
vers 199 av. J-C

il y a ... un homme aux yeux de cristal

Regarde moi bien dans les yeux.

Je suis le scribe au regard perçant,

je suis un homme savant,

un personnage très important

et depuis quatre mille ans,

du fond de mon tombeau,

je contemple le monde

de mes yeux de cristal.

Égypte
Le scribe "accroupi"
vers 2600-2350 av. J-C

17

il y a ... des boîtes qui s'emboîtent

Qu'y a-t-il dans cette grande boîte ?

Une boîte plus petite.

Et qu'y a-t-il dans cette deuxième boîte ?

Une boîte encore plus petite.

Et dans cette troisième boîte ?

Une jeune fille dans ses bandelettes.

Elle s'appelait Tamoutnefret.

Le jour où elle est morte,

son père était si triste

qu'il a voulu protéger

son joli corps

dans le monde des morts.

Égypte
Sarcophages
de Tamoutnefret
vers 100 av. J-C

19

il y a ... le trésor des rois de France

Je suis le nouveau roi de France !

Pour être couronné à Reims,

en chemin, depuis Paris,

je suis passé par Saint-Denis.

J'ai pris le trésor de France,

l'épée glorieuse,

le sceptre en or

et la couronne précieuse,

tout ce qu'il faut

pour être roi.

20

France,
XVIIIᵉ siècle
Couronne
de Louis XV
1722

21

il y a ... un assassin

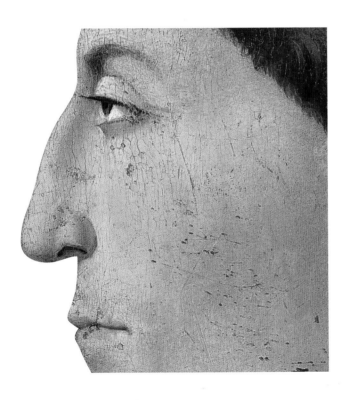

Je suis un cruel chef de guerre,

un redoutable adversaire.

Tout le monde me hait

et ça me plaît !

J'ai tué ma femme,

elle m'ennuyait.

Je suis très satisfait

de mon portrait :

je ressemble

à la lame de mon épée.

Piero della Francesca
Portrait
de Sigismond
Malatesta
vers 1430

il y a ... deux sœurs dans une baignoire

Comme elle est jolie,

ma sœur Gabrielle !

Elle a des cheveux d'or

et la peau très blanche !

Elle est si jolie que le roi Henri

entre toutes l'a choisie.

Si je lui pince le bout du sein,

c'est pour vous annoncer

que de leur amour un petit prince est né.

Il s'appelle César.

École de Fontainebleau
Gabrielle d'Estrées et une de ses sœurs
vers 1594

25

il y a ... un nez très laid

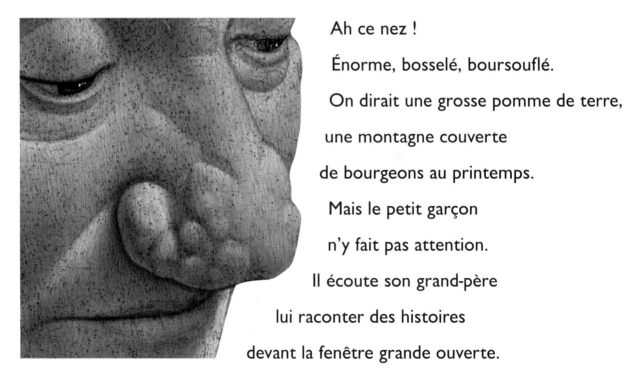

Ah ce nez !

Énorme, bosselé, boursouflé.

On dirait une grosse pomme de terre,

une montagne couverte

de bourgeons au printemps.

Mais le petit garçon

n'y fait pas attention.

Il écoute son grand-père

lui raconter des histoires

devant la fenêtre grande ouverte.

Ghirlandajo
Vieillard et jeune garçon
vers 1490

il y a ... le roi soleil

Moi, Louis XIV,

j'ai fait construire le château de Versailles !

Moi, Louis XIV,

je suis le roi le plus beau, le plus grand,

le plus fort de tous les temps !

Moi, Louis XIV,

j'ai fait peindre mon portrait

pour l'offrir à mon petit-fils !

Et puis non ! Ce tableau

est bien trop beau

pour lui.

Je le garde pour moi,

Louis XIV !

Hyacinthe Rigaud
Portrait de Louis XIV
1701

il y a ... un lion qui se régale

Voilà ce qui arrive

quand on veut faire le malin.

Le vieux Milon a voulu fendre

un arbre de ses mains

et ses doigts sont restés coincés.

Pauvre Milon,

le lion l'a croqué !

Pierre Puget
Milon de Crotone
1670-1683

il y a ... un dentiste musclé

« Allons, détendez-vous,

vous ne sentirez rien ! »

L'arracheur de dents

est un menteur :

ça fait mal, affreusement mal !

Et le pauvre homme

hurle de douleur.

Moralité :

pour ne pas avoir les dents gâtées,

mieux vaut se les brosser !

Gérard Dou
L'arracheur
de dents
1647

il y a ... un petit déjeuner en famille

« Le petit déjeuner est servi,

viens boire ton chocolat », dit maman.

Mais moi je préfère jouer

avec mon cheval et ma poupée.

Papa, qui est peintre,

dit qu'il ne va rien rester,

que ma sœur va tout manger.

Mais il s'en fiche, je le connais.

Une chose seulement l'intéresse :

dès qu'il aura fini le déjeuner

il retournera à l'atelier

et nous mettra tous dans un tableau.

François Boucher
Le déjeuner
1739

il y a ... une bande de tricheurs

Au lieu de baisser les yeux, gros benêt,

regarde ce que ces trois coquins

se disent avec leurs mains,

avec leurs yeux en coin !

Regarde-les et tu verras le malin

qui sort de sa ceinture l'as de carreau

qui va le faire gagner !

Regarde-les, gros benêt,

si tu ne veux pas te faire plumer !

Georges de La Tour
Le tricheur à l'as de carreau
vers 1630

il y a ... un poisson gluant

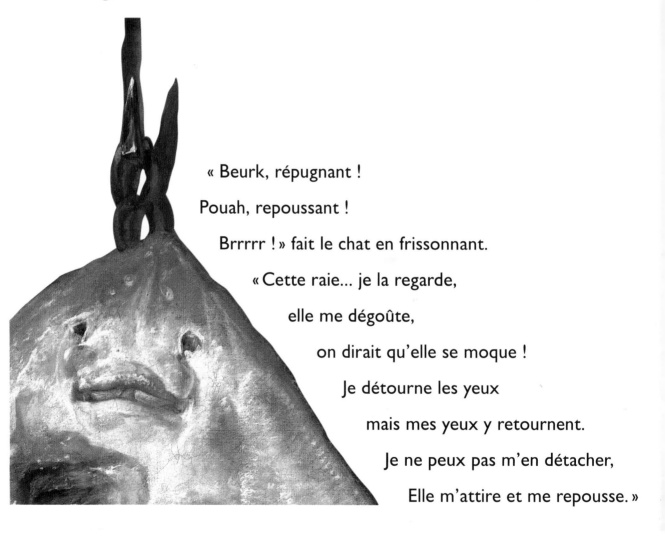

« Beurk, répugnant !

Pouah, repoussant !

Brrrrr !» fait le chat en frissonnant.

«Cette raie... je la regarde,

elle me dégoûte,

on dirait qu'elle se moque !

Je détourne les yeux

mais mes yeux y retournent.

Je ne peux pas m'en détacher,

Elle m'attire et me repousse. »

Jean-Baptiste-Siméon Chardin
La raie
1725

il y a ... le petit chaperon rouge

« Miam miam,

je vais en faire une bouchée ! »

se dit le loup en se pourléchant les babines.

« Cette petite fille est à croquer !

Sa mère-grand était un peu dure.

Elle sera mon dessert. »

Tu devrais regarder par terre,

petit chaperon rouge !

Tu verrais la robe de ta mère-grand

et tu partirais en courant !

François-Richard Fleury
Le petit chaperon rouge
vers 1840

il y a ... la Joconde, bien sûr !

La Joconde, elle est si connue,

que parfois quand on la voit, on est un peu déçu.

Comme il est sombre ce tableau et si petit !

Pourquoi l'aime-t-on autant ?

Pour ses mains l'une sur l'autre ?

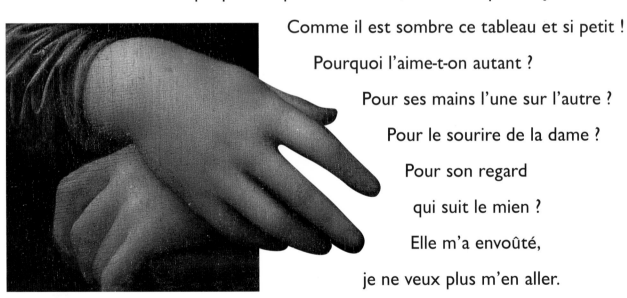

Pour le sourire de la dame ?

Pour son regard

qui suit le mien ?

Elle m'a envoûté,

je ne veux plus m'en aller.

Léonard de Vinci
La Joconde
vers 1501-1506

Tu peux retrouver le démon Pazouzou,
l'homme aux yeux de cristal et les autres
au musée du Louvre.

Le musée est ouvert tous les jours
sauf le mardi,
et pour toi, c'est gratuit.

Crédits photographiques :

Réunion des musées nationaux

Photographies de D. Arnaudet, G. Blot,

H. Chuzeville, C. Jean,

H. Lewandowski, R. G. Ojeda, J. Schormans.

Premier dépôt légal : septembre 2001

Dépôt légal : janvier 2009

ISBN 978-2-7118-4288-9

JC 20 4288